NÃO HÁ MISTÉRIOS

- VOLUME 1 -

Professora Rute Mendonça
Pregadora Ecumênica da Religião de
Deus, do Cristo e do Espírito Santo

William Luz
Coordenação e desenhos

Texto inspirado nas explicações do Irmão Paiva Netto sobre o Apocalipse do Divino Mestre pela Super Rede Boa Vontade de Comunicação.

São Paulo/SP — Brasil — 2024
Editora Elevação

Autora: Rute Mendonça
Coordenação e desenhos: William Luz
Produção editorial, desenhos e revisão: Equipe Soldadinhos de Deus
Impressão: Mundial Gráfica

Depósito legal na Biblioteca Nacional conforme Decreto nº 1.825, de 20 de dezembro de 1907.

Dados Internacionais de Catalogação na Publicação (CIP)

M539n

Mendonça, Rute

Não há mistérios — 1ª ed. — São Paulo : Editora Elevação, 2024, v.1. (*Coleção Ecumênica Apocalipse de Jesus para as crianças*). Ilustração William Luz. 32. p. : 24 x 24 cm.

ISBN: 978-65-85860-09-3

1. **Quarta Revelação**. 2. Jesus Cristo. 3. Espiritualidade. 4. Apocalipse de Jesus. 5. Evangelho de Jesus. 6. Paiva Netto, José de. I. Luz, William. II. Título

CDD-228.07

Índice para catálogo sistemático:
1. Apocalipse : Comentários 228.07

Rua Doraci, 2-A, sala 103 – Bom Retiro
São Paulo/SP – CEP 01134-050

ELEVAÇÃO

www.elevacao.com.br

Vamos ler com os nossos pais o

Tratado do Novo Mandamento de Jesus,

reunido por Paiva Netto, consoante o Evangelho do Cristo de Deus, segundo João, 13:34 e 35; e 15:7, 8, 10 a 17 e 9.

Ensinou Jesus, o Cristo Ecumênico, o Divino Estadista*: "13:34 *Novo Mandamento vos dou: amai-vos como Eu vos amei.* 13:35 *Somente assim podereis ser reconhecidos como meus discípulos, se tiverdes o mesmo Amor uns pelos outros.*

15:7 *Se permanecerdes em mim e as minhas palavras em vós permanecerem, pedi o que quiserdes, e vos será concedido.* 15:8 *A glória de meu Pai está em que deis muito fruto; e assim sereis meus discípulos.*

15:10 *Se guardardes os meus mandamentos, permanecereis no meu Amor; assim como tenho guardado os mandamentos de meu Pai e permaneço no Seu Amor.*

15:11 *Tenho-vos dito estas coisas a fim de que a minha alegria esteja em vós e a vossa alegria seja completa.*

15:12 *O meu Mandamento é este: que vos ameis como Eu vos tenho amado.* 15:13 *Não há maior Amor do que doar a própria vida pelos seus*

amigos. 15:14 *E vós sereis meus amigos se fizerdes o que Eu vos mando.* 15:17 *E Eu vos mando isto: amai-vos como Eu vos amei.*

15:15 *Já não mais vos chamo servos, porque o servo não sabe o que faz o seu senhor; mas tenho-vos chamado amigos, porque tudo quanto aprendi com meu Pai vos tenho dado a conhecer.*

15:16 *Não fostes vós que me escolhestes; pelo contrário, fui Eu que vos escolhi e vos designei para que vades e deis bons frutos, de modo que o vosso fruto permaneça, a fim de que tudo quanto pedirdes ao Pai em meu nome Ele vos conceda.*

15:17 *E isto Eu vos mando: que vos ameis como Eu vos tenho amado.* 15:9 *Porquanto, da mesma forma como o Pai me ama, Eu também vos amo. Permanecei no meu Amor".*

* **Jesus, o Cristo Ecumênico, o Divino Estadista** — Leia sobre o assunto na página 32.

Jesus
Ilustração que representa Jesus, o Cristo Ecumênico, o Divino Estadista.

Vovó Lola
Gosta de contar histórias e aproveitar o tempo com seus netos. Ela é muito paciente e extremamente bondosa.

Vicente
Dedicado, sempre encontra tempo para estar com sua família.

Vítor — 12 anos
Gosta de ler e estudar assuntos diversos, além de querer sempre aprender.

Luizinha — 8 anos
É muito alegre, divertida e sorridente. Seu lazer preferido é brincar.

João Evangelista
Ilustração que retrata João, o Evangelista e Profeta, Discípulo de Jesus.

Sarita — 9 anos
Curiosa e inteligente, ela adora conhecer novos lugares e faz amigos por onde passa.

Carmelita
É gentil e carinhosa, está sempre disposta a ajudar as pessoas.

Juju — 10 anos
Cheia de energia, gosta mesmo é de explorar e aprender novas coisas e também passar tempo com os amigos.

Yuri — 9 anos
Extrovertido, ama conversar e fazer novos amigos. Ele é muito alto-astral.

APRESENTAÇÃO
CORDEL *DEUS É AMOR*

Rute Mendonça

Eu vou contar para vocês
Uma história surpreendente
Que vai alegrar de vez
O coração de toda gente!
É uma história verdadeira
E bastante emocionante.
Lição para a vida inteira!

Numa ilha bem distante,
João Evangelista escreveu,
Com grande Fé Realizante,
Revelações que Deus lhe deu.
Há quem julgue aterrorizante,
Até onde o livro leu.
Mas parem e pensem um instante:

Pra melhor entendimento,
Vou aqui lhes explicar,
Saibam que, em nenhum momento,
Deus quer nos prejudicar!
Por isso, o alertamento:
Cuidado com o que vão plantar,
Para haver merecimento.

Grande exemplo vou trazer:
Pois, se eu plantar tomate,
O que haverei de colher?
Claro, não será abacate
O que terei para comer.
E não é nenhuma bobeira,
É bem fácil de entender.

Para receber o Bem,
O Bem devemos praticar.
Uma Boa Ação sempre vem
O nosso coração alegrar.
Jesus age assim também:
Nos ensina que, ao amar,
A Paz de Deus provém!

Que tal a gente pensar:
Criei um bonequinho de papel
E na água não vou jogar,
Senão ele vai pro beleléu.
Também Deus, ao nos criar,
Não nos deixará ao léu
Nem na água afundar!

E pra quem quiser saber
Como é a história inteira,
Não há tempo a perder,
Só existe uma maneira,
Pois comece logo a ler
Esta história verdadeira
E boas surpresas irá ter!

FÉRIAS ENCANTADORAS

Como em todas as férias, os filhos de dona Carmelita e do senhor Vicente — o Vítor, a Juju e a Luizinha — se preparam para a tão aguardada viagem para a casa da vovó Lola, em Montanhópolis, no Estado de Minas Gerais. Será um mês de muita alegria e diversão para a garotada!

Juju mal consegue esperar.

— Vamos, papai, quero chegar logo à casa da vovó!

— Tchau, mamãe, vou sentir saudades! — diz Luizinha abraçando-a.

— Eu também, minha filha! Dê um abraço na vovó e na Sarita por mim. E boa viagem, querido! Deus acompanhe vocês! Avise-me quando chegarem à casa da sua mãe.

Antes de saírem, juntos fazem uma prece, pedindo proteção a Deus.

PRECE DO MOTORISTA*

Jesus, quero que sejas
a Luz dos meus olhos,
para que eu veja sempre o caminho certo!
O Guia dos meus braços,
para que eu me dirija sempre para o Bem!
A Força de minha vida,
para que eu resista na luta diária pelo pão!
O meu Amigo constante,
para que eu sirva a todos com Boa Vontade!
O Amor do meu coração,
para que eu ame a todos como a mim mesmo!
Que a Paz de Deus ilumine os nossos caminhos.
E Viva Jesus!

* Oração entoada desde o início da Legião da Boa Vontade (LBV) e que ficou famosa na voz do Irmão Alziro Zarur (1914-1979).

MONTANHÓPOLIS

Enquanto isso, na casa da vovó Lola, a netinha Sarita, que chegou um dia antes, e o Yuri, um menino que era vizinho da vovó, brincam com o cachorrinho Pingo, que também está feliz com a vinda das crianças.

— Você vai gostar dos meus primos, Yuri! Eles são bem divertidos, não são, vovó?

— São, sim, Sarita! Vocês vão se dar muito bem, Yuri. Já, já eles estarão aqui!

Sarita não para de olhar pela janela, até que...

— Vovó, Yuri, meus primos chegaram!

Sem perder tempo, a vovó corre para abrir o portão, e eles se abraçam numa alegria só. E ela convida a todos para um delicioso lanche que havia preparado.

— Ei, ei, ei, antes temos de fazer a prece para agradecer a Deus pelo alimento, não é, vovó?!

— Isso mesmo, bem lembrado, Luizinha!

Casa da vovó Lola

Ó Senhor, abençoe esta hora de alegria,
A comidinha tão boa
Que nos dá todos os dias!
Deus Está Presente!
Viva Jesus em nossos corações para sempre!

HISTÓRIAS DA VOVÓ

O dia passa voando, e logo após o jantar, todos se reúnem na sala.

— Vó, conte uma história pra gente — pede Juju com saudade dos momentos encantadores com a vovó.

— Vocês querem ouvir uma história verdadeira?

— Obaaaa! Com certeza! — comemora Luizinha se acomodando bem pertinho dela.

— Bem, o que eu contarei para vocês nessas férias fala de Anjos Protetores, dragões, serpentes, trovões, trombetas...

— Eu vou ficar com medo, dona Lola?

— Não, Yuri! É uma história cheia de Bem-Aventuranças. Por acaso vocês sabem o que é uma Bem-Aventurança?

— Eu não sei — Luizinha se apressa em responder.

— A palavra Bem-Aventurança quer dizer felicidade! Então, é pra todo mundo ficar feliz. O título dessa história é Apocalipse de Jesus. Vocês estão preparados? Apertem os cintos, porque vamos fazer uma viagem de volta ao tempo.

— Estamos!!! Uhuuuuuuuu!!!

NÃO É SEGREDO

— Pois muito bem, prestem atenção! Há mais de dois mil anos, quando Jesus esteve visivelmente aqui na Terra, Ele fez muitos milagres, curando as pessoas, confortando os que sofriam e levando paz a todos os corações.

— Mas qualquer um podia ver Jesus?

— Sim, Juju, todos os que estavam naquela região podiam vê-Lo. E pra gente entender melhor, vamos ver o que ocorreu um pouco antes de Jesus **revelar** o Apocalipse a João Evangelista. Atenção, eu disse RE-VE-LAR, porque a palavra APOCALIPSE quer dizer RE-VE-LA-ÇÃO, e no Apocalipse de Jesus, o Último Livro da Bíblia Sagrada, não há nada de mistério.

— Mas como é essa história verdadeira que a senhora vai contar, vovó?

— Bem, antes de começar, preciso dizer uma coisa importante: certa vez, por ocasião da festa da Páscoa, Jesus estava se alimentando com os Seus Discípulos. E nesse momento Ele revelou Seu mais importante ensinamento para a felicidade de todos...

— E o que foi? — quis saber Sarita.

— O Mestre falou: *“Amai-vos como Eu vos amei. Somente assim podereis ser reconhecidos como meus discípulos”*[*1]. E a Palavra Dele é uma ordem para todos colaborarmos na construção de um mundo melhor e de uma humanidade mais feliz.

— Que Grande Amigo! Que lindo, vovó!

— Pois é, Vítor. E os Discípulos receberam esta missão de Jesus: *“Falem de mim para todas as pessoas. Contem tudo o que lhes ensinei. E não se esqueçam: EU VOLTAREI!”*[*2]

— Então, é para contar para todo mundo, vovó?

[*1] Evangelho, segundo João, 13:34 e 35.
[*2] Evangelho, segundo Marcos, 16:15; e João, 14:18.

— Sim, Sarita, mas não só isso. O importante é praticar. Quer dizer, devemos, sim, divulgar para as pessoas que Jesus ensinou que precisamos ajudar uns aos outros. Porém, o essencial é agirmos assim na nossa vida. E, fazendo isso, nós estaremos cumprindo uma das Leis, que são regras, ensinadas no Apocalipse.

— Vovó, e que Lei é essa? — pergunta Juju.

— É a Lei das Obras. E o que isso quer dizer? Que tudo o que fazemos de bom tem consequências boas, resultados bons, mas o que fazemos de ruim também volta para nós.

— Eu sei como é isso — Vítor fala mostrando que está entendendo. — Por exemplo, existem as leis do trânsito. Se um motorista dirige muito rápido, vai levar uma multa e terá que pagar caro. Isso porque ele não respeitou a lei do trânsito.

— É mesmo — concorda Juju. — E tudo o que a gente faz de bom ou não tão bom assim significa as obras.

— Agora já sei — conclui Sarita —, a vovó disse que a Lei do Apocalipse é a Lei das Obras. Então, como Jesus deixou uma lei dizendo *"Amai-vos como Eu vos amei"*, é só fazermos o Bem que seremos felizes, pois teremos cumprido essa Lei.

O CORAJOSO

— Lembrando, crianças, que o Apocalipse de Jesus é uma história verdadeira de muita emoção! E João Evangelista, que sempre foi um Discípulo dedicado em viver os ensinamentos de Jesus, com seus mais de 90 anos, foi quem recebeu a missão de deixar registrado o livro do Apocalipse para todos.

— Mas como João recebeu o Apocalipse, dona Lola?

— Bem, Yuri, naquele tempo, o imperador romano Domiciano havia dominado toda a região por onde Jesus e Seus Discípulos andaram. E ele não queria mais ouvir falar no Cristo. Vamos imaginar que um dos seus soldados, percebendo que João Evangelista andava pelas ruas espalhando os ensinamentos do Rei Jesus, foi imediatamente contar ao imperador Domiciano o que estava acontecendo.

— Foi contar? Como assim? Foi fazer fofoca? — pergunta Luizinha reprovando a atitude do soldado.

— Pois é, Luizinha! E o imperador achava que o único poderoso ali era ele. Então, não deve ter pensado duas vezes: o soldado teria que ir, imediatamente, anunciar a seguinte ordem: João não deveria mais falar sobre Jesus. E aí, crianças? Será que João obedeceu ao Domiciano ou ao Rei Jesus?

— Eu acho que João obedeceu a Jesus!

— Também acho, Luizinha, porque Jesus só fazia o Bem! — concorda Vítor.

— Foi isso mesmo, vovó?

— Isso mesmo, Juju! Logicamente que João continuou ensinando sobre Paz, Amor, Respeito...

— Acho que Domiciano ficou mais bravo ainda, não é? — Sarita comenta admirada com a coragem de João.

— Sim. E desta vez tomou uma séria decisão.

— O que ele fez? — pergunta Yuri.

— Aconteceu que João, que já estava nonagenário, ou seja, já tinha mais de 90 anos, foi preso na ilha de Patmos, um lugar muito longe, sem ninguém para ouvi-lo. A ideia do imperador era isolá-lo para que ele desistisse da sua missão. Mas será que isso aconteceu? Nããããooo! João era muito corajoso e, mesmo distante de tudo e de todos, manteve-se obediente ao seu Mestre e perseverante no Bem. E foi lá naquela ilha, chamada Patmos, que João conseguiu receber, por meio de um Anjo, a mensagem de revelação dessa história verdadeira que conhecemos pelo título de Apocalipse de Jesus, que é, como já sabemos, o Último Livro da Bíblia Sagrada.

HORA DE DORMIR

— Bom, agora vocês terão que ficar curiosos, porque esta história é empolgante, só que é tarde e vocês precisam dormir. Amanhã continuaremos, combinado?

— Nossa, mãe — comenta seu Vicente, que em um cantinho da sala acompanhava detalhe por detalhe aquela narrativa envolvente —, eu sempre me surpreendo! Até eu fiquei curioso! E vocês, turminha, aproveitem bem estas férias. Tenho certeza de que terão muito o que contar quando voltarem para casa! Durmam com Deus!

— Ah, papai, é que estava tão bom! — reclama Vítor. — É sempre assim. Na melhor parte, a gente tem que dormir!

— Acho que até vou sonhar com esta história!

— A gente vai ter que esperar até amanhã, Luizinha. — Sarita conforta a prima.

— Muito bem, meus netinhos queridos! — fala dona Lola à garotada, sem conseguir disfarçar no semblante a felicidade de vê-los interessados em conhecer essa empolgante história do Apocalipse de Jesus. — Façam a prece e durmam com Deus! Amanhã será um novo dia! Deus Está Presente!

— Viva Jesus em nossos corações para sempre! — respondem todos percebendo que a vovó não falaria nada mais, pois já estava tarde.

COMO SERÁ ESSA HISTÓRIA DO APOCALIPSE DE JESUS? O QUE SERÁ QUE JOÃO VIU E QUEM ESTAVA LÁ COM ELE?

BEM, PESSOAL, AGUARDEM A CONTINUAÇÃO DESSA MARAVILHOSA VIAGEM NO TEMPO E PREPAREM-SE PARA MUITAS SURPRESAS!

Relembrando o que aprendemos hoje:

* O Novo Mandamento de Jesus — *"Amai-vos como Eu vos amei. Somente assim podereis ser reconhecidos como meus discípulos"* (Evangelho, segundo João, 13:34 e 35) — é uma Ordem Divina para vivermos em Paz.

* A Lei do Apocalipse de Jesus é a Lei das Obras.

* A palavra Apocalipse quer dizer Revelação.

* Bem-Aventuranças são recomendações para sermos felizes.

* João estava isolado na ilha de Patmos com mais de 90 anos quando recebeu o Apocalipse.

* Falar sobre os ensinamentos de Jesus e da Sua Volta Triunfal ao Planeta Terra também é nossa missão!

CADERNO DE ATIVIDADES

SOLTE SUA IMAGINAÇÃO E MERGULHE NAS PÁGINAS DESTE LIVRO! DESENHE OU ESCREVA SOBRE O QUE MAIS ENCANTOU VOCÊ NESSA AVENTURA INCRÍVEL!

DESCUBRA OS 7 ERROS

VAMOS COLORIR?

DISSE JESUS: "AMAI-VOS COMO EU VOS AMEI".

ESCREVA A PRIMEIRA LETRA DE CADA DESENHO E VEJA O QUE QUER DIZER A PALAVRA APOCALIPSE

Ç ~

CRUZADINHA

Respostas na página 31

QUAL É O CAMINHO QUE AJUDA OS AMIGOS A SE ENCONTRAREM?

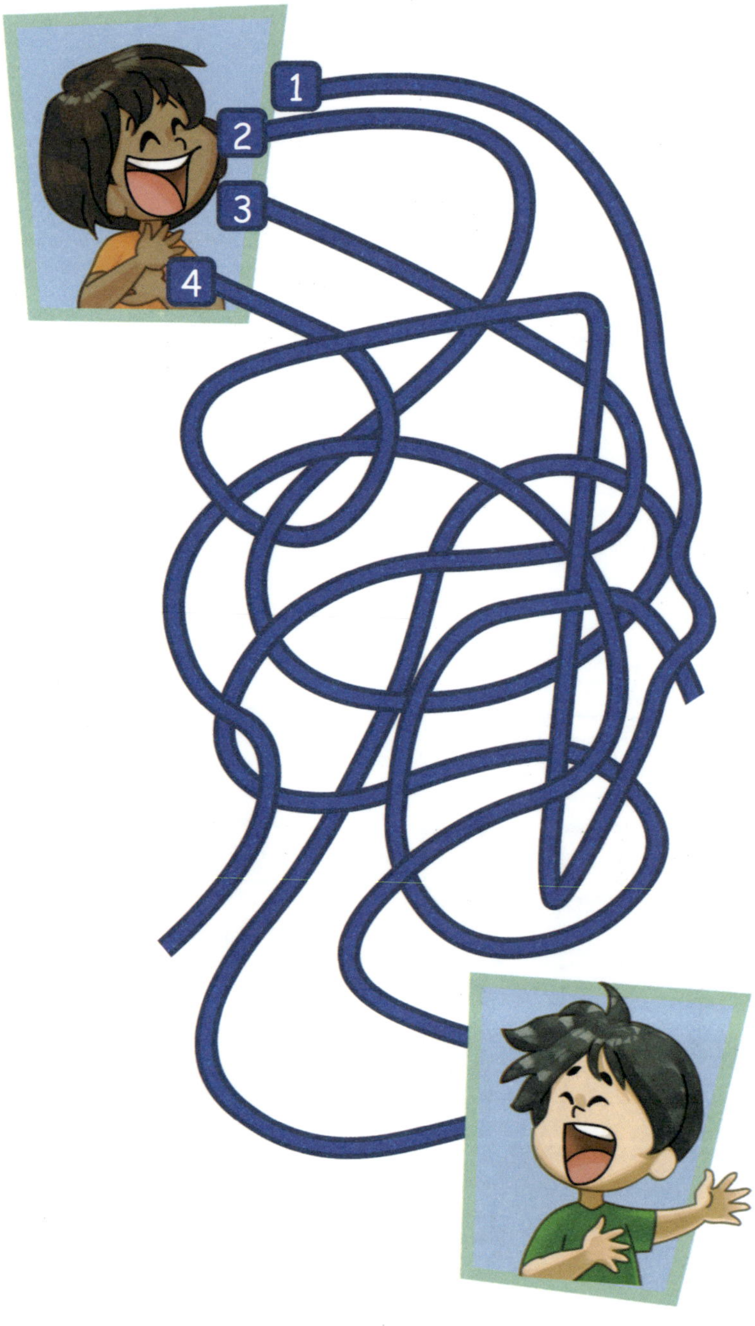

ENCONTRE AS SEGUINTES PALAVRAS: PATMOS, AMAI-VOS, ESTRELA, PAZ E APOCALIPSE

P	A	T	M	O	S
Z	P	B	N	W	O
N	O	Ç	E	H	V
N	C	X	S	T	I
Q	A	H	T	J	A
W	L	Y	R	A	M
T	I	D	E	Q	A
P	P	A	L	N	N
V	S	Z	A	Q	Z
Q	E	W	P	A	Z

QUAL DOS DETALHES CORRESPONDE À FIGURA?

VAMOS COLORIR?

RESPOSTAS

Resposta da página 28:
Descubra os 7 erros

Respostas da página 29:
Escreva a primeira letra de cada desenho e veja o que quer dizer a palavra Apocalipse
Resposta: Revelação.

Cruzadinha

Respostas da página 30:
Qual é o caminho que ajuda os amigos a se encontrarem?
Resposta: 2.

Diagrama

Qual dos detalhes corresponde à figura?
Resposta: 2.

Jesus, o Cristo Ecumênico, o Divino Estadista

Aos pais, responsáveis e educadores, apresentamos este conceito criado pelo Presidente-Pregador da Religião de Deus, do Cristo e do Espírito Santo, José de Paiva Netto, durante histórica entrevista que concedeu, em 1989, ao produtor de documentários da TV polonesa, na época Vice-Presidente da Associação Universal de Esperanto, jornalista Roman Dobrzyński. Na ocasião, Roman, analisando a missão do Templo da Boa Vontade (TBV), o Templo do Ecumenismo Divino, que Paiva Netto inauguraria no dia 21 de outubro daquele ano, em Brasília/DF, Brasil, arguiu o dirigente da Religião do Amor Universal sobre como podia pregar o Ecumenismo Irrestrito falando em Jesus. Paiva Netto, então, discorreu acerca do tema, resumindo décadas de pregação dele a respeito de assunto tão fundamental da doutrina da Religião do Terceiro Milênio: *"Uma das grandes tarefas da Religião de Deus, do Cristo e do Espírito Santo, meu caro Roman, é dessectarizá-Lo, pois Jesus é o Cristo Ecumênico, portanto universal. (...) O Divino Mestre* ***não é limitado****. Ele é o Ideal Celeste de Humanidade, Amor, Solidariedade, Justiça e Compaixão para todos os seres espirituais e humanos.* ***Jesus é uma conquista diária para os que têm sede de Saber, de Misericórdia, de Fraternidade, de Generosidade, de Liberdade e Igualdade, segundo a Lei Universal da Reencarnação. Jesus, em Si mesmo, não constitui fator de rancores e guerras.*** *Pregou, com o Seu Novo Mandamento* — 'Amai-vos como Eu vos amei. Somente assim podereis ser reconhecidos como meus discípulos' *(Evangelho, segundo João, 13:34 e 35)* —, *o Amor elevado à enésima potência. O que as criaturas terrenas fizeram com a Sua Mensagem é criação reducionista delas (...). Revelar o excelso significado do Seu Evangelho e do Seu Apocalipse, sem odiosa intolerância, ou seja, em Espírito e Verdade, à luz do Seu Novo Mandamento de Amor Fraternal, é um destacado serviço que a Religião de Deus, do Cristo e do Espírito Santo está prestando à sociedade do mundo (...)"*. Cabe destacar que Roman se tornou admirador e divulgador desse Ideal de Boa Vontade, constantemente encaminhando à Religião do Amor Universal histórias e experiências vivenciadas quando de suas palestras e aulas em diversos lugares do globo, entre estas as ministradas na Universidade de Pequim, na China.

Querido Soldadinho de Deus, estamos muito interessados em saber o que você achou desta história e o que aprendeu com ela. Peça para a mamãe, o papai ou o seu responsável para compartilhar suas ideias ou dúvidas sobre o Apocalipse conosco! Eles podem enviar esta página para a Rua Doraci, 90 — Bom Retiro — São Paulo/SP — CEP 01134-050. Ou, se for mais fácil, é só tirar uma foto e encaminhá-la para o nosso *e-mail:* editora@elevacao.com.br. Estamos aguardando sua participação!

Nome:
Idade:
Cidade:

Soldadinhos de Deus

LBV